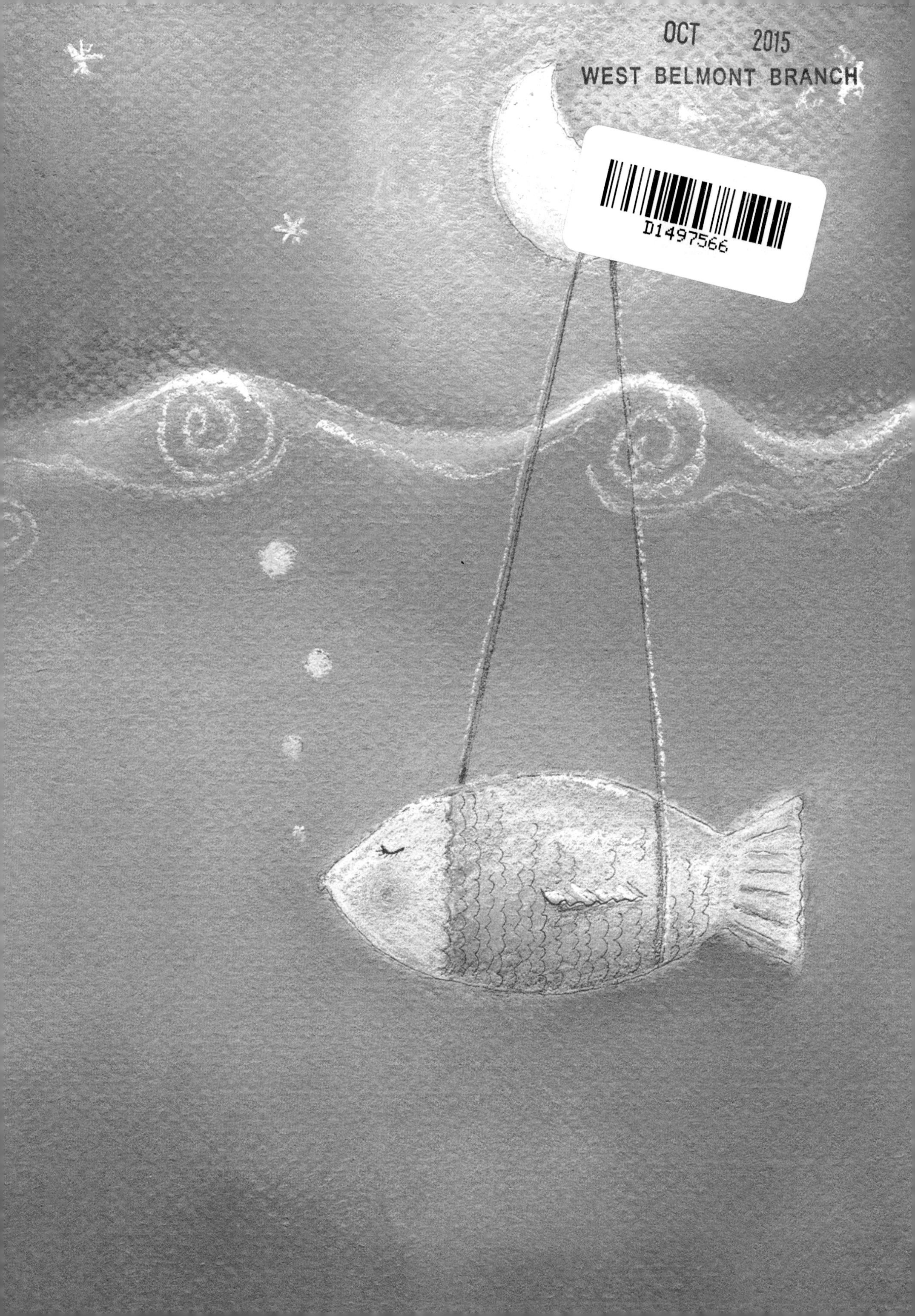

Wanda Chotomska

BAJKI
Z 1001 DOBRANOCY

ilustrowała Iwona Cała

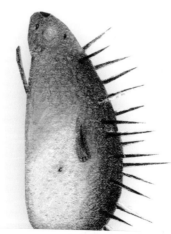

LITERATURA

Wanda Chotomska
Bajki z 1001 dobranocy

Jacek i Agatka, postacie z telewizyjnej dobranocki.
Ich wizerunki stworzył **Adam Kilian.**

Projekt graficzny i ilustracje:
Iwona Cała

Korekta: Lidia Kowalczyk, Joanna Pijewska

Wydanie III

ISBN 978-83-7672-275-7

Wydawnictwo **Literatura**, Łódź 2014
91-334 Łódź, ul. Srebrna 41
handlowy@wyd-literatura.com.pl
tel. (42) 630-23-81
faks (42) 632-30-24
www.wyd-literatura.com.pl

Zawsze mam kłopoty z imionami i tytułami, i bardzo często w wybrnięciu z tych kłopotów pomagają mi dzieci.

Kiedy w październiku 1962 roku rozpoczęłam pisanie programów na dobranoc i nie mogłam się zdecydować, jakie imiona dać telewizyjnemu rodzeństwu – dzieci w swoich listach podpowiedziały mi, żeby tego brata i siostrę nazwać Jackiem i Agatką.

A teraz z kolei pomogli mi Jacek i Agatka. Bo bajki, które są w tej książce, opowiadałam najpierw im. Potem, kiedy miałam kłopot z wymyśleniem tytułu, Jacek przypomniał sobie, że kiedyś mówiłam im również o takiej pani, która też wymyślała bajki.

– Jejku! – powiedział Jacek. – Jak ta pani się nazywała? Szarada czy jakoś tak?

– Nie Szarada! Szecherezada – poprawiła go Agatka. – A opowiadała Bajki z 1001 nocy.

– To może nasze mogłyby się nazywać Z 1001 dobranocy? – zaproponował Jacek i zaraz zaczęliśmy liczyć, ile było naprawdę tych naszych dobranocek.

Najpierw liczyliśmy na palcach, potem, kiedy zabrakło nam palców, na piegach i w końcu się doliczyliśmy – dobranocek było naprawdę 1001. Ponad tysiąc razy spotkali się z Wami Jacek, Agatka i ich sąsiadka, pani Zosia.

To wielkie liczenie odbyło się w roku 1970. Wtedy napisałam tę książkę. Potem, chociaż dobranocki ukazywały się jeszcze przez kilka lat, już nikt z nas nie zajmował się ich liczeniem. A teraz – nie ma kto policzyć, ile było telewizyjnych dobranocek. Nie ma programu w telewizji, w którym występowali Jacek i Agatka. A ja w rachunkach byłam zawsze beznadziejna. Mój najlepszy stopień to trója z minusem. Dlatego zrezygnowałam z liczenia i zajęłam się pisaniem.

Więc niech już zostanie te 1001. A Bajki z 1001 dobranocy dedykuję nie tylko tym, którzy lubią czytać, ale również tym, którzy dopiero polubią.

Wanda Chotomska

Bajka

o rogaliku, który chciał zostać księżycem

Był sobie rogalik. Rogalik był mały i zwyczajny, ale marzenia miał wielkie i zupełnie niezwykłe. Bo mały rogalik chciał zostać księżycem.

Najpierw powiedział o tym okularom pana piekarza i prosił, żeby opisały mu dokładnie, jak ten księżyc wygląda. Okulary nie miały czasu na przyglądanie się księżycowi, bo musiały pilnować tego, co działo się w piekarni, więc rzuciły tylko jednym okiem na niebo widoczne przez lufcik, drugim spojrzały na rogalik i robiąc okropnego zeza, powiedziały:

– Księżyc jest wielki. Jeśli chcesz zostać księżycem, musisz czym prędzej urosnąć.

Ale chociaż rogalik zaczął rosnąć jak na drożdżach, bo zapomniałam Wam powiedzieć, że to był drożdżowy rogalik, okazało się, że wzrost to jeszcze nie wszystko.

– Księżyc jest złoty… – ziewnęły drzwiczki od pieca. – Jeśli chcesz mieć taki sam kolor, musisz poprosić, żeby piec cię przyrumienił.

Tak powiedziały drzwiczki i zaraz zatrzasnęły się za rogalikiem. A kiedy się odtrzasnęły, to nie zdążyły nawet ziewnąć „do widzenia", bo przed piekarnią czekał już samochód, który rozwoził pieczywo do sklepów.

Samochód trąbił, kosze z pieczywem podskakiwały, rogalik bał się, że inne rogaliki pogniotą mu rogi, i nie mówił nic. Dopiero w sklepie się odezwał:

– Wiesz, kim chcę zostać? Księżycem! – powiedział do sklepowej wagi.

Ale waga nie uważała za stosowne udzielić mu żadnej odpowiedzi. Pewnie dlatego, że nie umiała myśleć słowami, tylko liczbami. A odważniki mówiły same do siebie:

– 10 deka… 20 deka… 30 deka…

Zresztą nikt w sklepie nie chciał rozmawiać z rogalikiem. Wszyscy się śpieszyli i każdy myślał tylko o sobie. Sucha kiełbasa mruknęła:

– Nie będę suszyć sobie głowy tym, że jakiś rogalik chce zostać księżycem.

Ocet odezwał się tylko:

– Ooo… – i zrobił się bardzo kwaśny, a sardynki były tak zamknięte w sobie, że w ogóle się nie odezwały.

Tylko różowe landrynki zlitowały się nad rogalikiem i postanowiły mu osłodzić życie. A ponieważ były bardzo nieśmiałe, zarumieniły się tak mocno, że z różowych zrobiły się zupełnie czerwone i wyszeptały swoimi słodkimi, landrynkowymi głosami:

– Przepraszamy, że się wtrącamy, ale nam się zdaje, że księżyców się w sklepie nie sprzedaje… Więc jeśli chcesz zostać księżycem, musisz stąd jak najprędzej wyjść.

– Dziękuję za radę! – zawołał rogalik i zeskoczył ze sklepowej półki prosto do papierowej torebki.

– Księżyc jest wysoko. Jeśli chcesz zostać księżycem, musisz znaleźć się tak wysoko jak on – zaszeleściła torebka i powiedziała

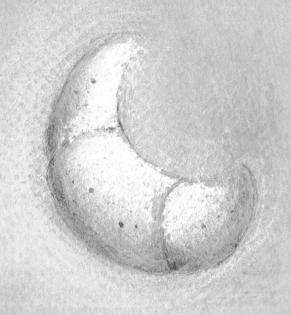

rogalikowi, że właśnie wyszli już ze sklepiku, przeszli ulicę i teraz idą po schodach. Na pierwsze piętro, na drugie, na trzecie… Czwartego i piątego nie wymieniła, bo była okropnie zadyszana, na szóstym powiedziała: „Ooch!", a na siódmym pękła z wysiłku i rogalik wylądował na słomiance.

Pan, który niósł torbę z zakupami, nawet tego nie zauważył, widocznie był bardzo roztargniony albo zamyślony, ale rogalik wcale nie miał mu tego za złe. Leżał na słomiance i cieszył się, że zawędrował tak wysoko.

Z siódmego piętra – myślał sobie, patrząc w okno – jest o wiele bliżej do nieba niż z piekarni albo z parterowego sklepiku. Teraz tylko muszę trafić na okienny parapet. Ze słomianki na parapet, a potem już sobie dam radę.

Ale nie trafił na parapet, tylko przeleciał nad nim wyrzucony przez chłopca, który go podniósł ze słomianki.

– W tej chwili wyrzuć to, co masz w ręku! – krzyknęła do chłopca jakaś pani i rogalik wyleciał przez okno.

Wyleciał i poczuł, że spada.

Teraz już koniec – pomyślał – spadnę na ziemię i już nigdy nie zostanę księżycem…

I właśnie wtedy, kiedy sobie tak pomyślał, zobaczył małą dziewczynkę w jednym z otwartych okien wielkiej kamienicy i usłyszał cienki, dziecinny głosik:

– Patrz, mamo, jaki piękny księżyc zajrzał do naszego okna!

Bajka

o bocianie, który nie umiał łowić żab

Pewnego razu wieczorem, kiedy dzienne ptaki kładły się już spać, a sowy dopiero wstawały, przyszedł do mądrej sowy bocian i powiedział, że ma wielkie zmartwienie.

– Nie rozumiem, czym się martwisz – zdziwiła się sowa i zaraz zapytała: – Mieszkanie masz?

– Mam – przytaknął bocian.

– Żonę masz?

– Mam.

– A dzieci?

– Dziękuję, zdrowe – powiedział bocian i wyjaśnił sowie, że to wcale nie chodzi o mieszkanie, żonę i dzieci, tylko o żaby. – Przedwczoraj nie złapałem ani jednej, wczoraj ani jednej…

– A dzisiaj? – zapytała sowa.

– Dzisiaj tak samo. Chodziłem po łące nad jeziorem, kiszki grały mi marsza, żaby w szuwarach kumkały, ale chociaż w każdą kępę zaglądałem, nie ujrzałem ani jednej żaby. I dlatego właśnie przyszedłem do ciebie z prośbą o radę.

– Wobec tego – powiedziała mądra sowa – radzę ci, żebyś sobie kupił okulary. Wzrok masz widocznie słaby i dlatego nie możesz dojrzeć w trawie żadnej żaby, ale jak włożysz okulary, zobaczysz, że wszystko się zmieni.

Kupił bocian okulary,
w okularach wlazł w szuwary,
chodził, chodził do wieczora –
głodny wrócił znad jeziora.

Więc wieczorem znowu zapukał do dziupli mądrej sowy, żeby mu powiedziała, co ma robić.

– Nie widziałeś ani jednej żaby? – zdziwiła się sowa.

– Widziałem, ale żaby też mnie widziały i na mój widok uciekały tak prędko, że żadnej nie udało mi się złowić. Ledwie którąś zobaczyłem – ona od razu w nogi.

– W nogi? – zastanowiła się sowa i okrągłymi oczami popatrzyła na czerwone bociane nogi. – No tak, teraz już wszystko rozumiem… Szuwary są zielone, twoje nogi czerwone, więc nic dziwnego, że żaby widzą je z daleka i każda od razu ucieka. Nie ma innej rady, tylko musisz sobie kupić kalosze, i to najlepiej zielone, żeby nie odróżniały się od szuwarów.

Do miasteczka bocian poszedł,
kupił w sklepie dwa kalosze.
Do wieczora chodził w kółko
nad jeziorem i rzeczułką,
a wieczorem z bólem głowy
poszedł znów do mądrej sowy.

– Niestety – poskarżył się sowie – znowu nic nie złowiłem. Widziałem wprawdzie bardzo dużo żab i niektóre były nawet zupełnie blisko, ale jak tylko machnąłem skrzydłami, żeby do której podskoczyć, żaby uciekały i tyle.

– No właśnie! – pokiwała głową mądra sowa. – Skrzydła… Nie chciałam ci tego mówić na początku, bo rozumiem, że każdy z nas jest przywiązany do swoich skrzydeł, ale twoje są stanowczo za duże i za bardzo widoczne. Naokoło zielona trawa, zielone szuwary, a tu biało-czarne skrzydła… Nie ma innej rady, tylko trzeba je będzie zamaskować.

– Więc co mam zrobić? – zmartwił się bocian.

– Idź do miasteczka i kup sobie płaszcz. Albo jeszcze lepiej – pelerynę. No, wiesz – taką z kapturem od deszczu. Na niepogodę będzie jak znalazł, a poza tym jak włożysz pelerynę, żadna żaba cię nie pozna i tyle ich złowisz, że nie tylko dla ciebie, ale nawet dla krewnych i znajomych wystarczy.

Kupił bocian pelerynę,
wlazł w szuwary, w błoto, w trzcinę,
łaził, łaził do wieczora,
głodny wrócił znad jeziora.

A kiedy wrócił, nie musiał nawet pukać do sowy, bo sama go zobaczyła. Zobaczyła i w pierwszej chwili nie poznała.

— Przepraszam — powiedziała — pan do mnie?

— To ja… — szepnął bocian i wysunął spod kaptura bociani dziób.

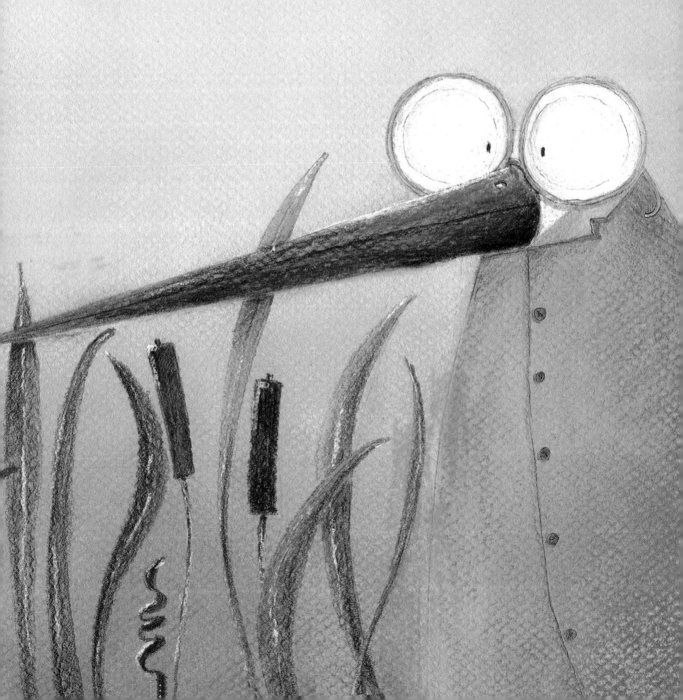

– Ach, to znowu ty! – skrzywiła się sowa i obejrzała bociana od stóp do czubka głowy. – Kalosze, peleryna, okulary… Tak się zmieniłeś, że naprawdę trudno cię poznać. Wcale nie wyglądasz na bociana, tylko na jakiegoś pana… A jak polowanie? Udało się?

– Niestety – wyszeptał bocian – znowu nie złowiłem ani jednej żaby i taki jestem głodny, że już się ledwie trzymam na nogach…

– No to – powiedziała sowa – nie ma innego wyjścia, tylko musisz iść na obiad do gospody. Tam, oczywiście, nie dostaniesz żab, ale możesz sobie zamówić na obiad na przykład schab.

– Zamiast żab mam jeść schab? – jęknął bocian.

– Trudno! – rozłożyła skrzydła sowa. – Skoro nie masz szczęścia w polowaniu, musisz sobie żaby wybić z głowy i iść do gospody na kotlet schabowy, bo inaczej rzeczywiście umrzesz z głodu…

I bocian poszedł. Wpuścili go, bo chociaż do gospody nie wpuszczają bocianów, bocian nie wyglądał przecież wcale jak bocian, tylko jak jakiś pan. Wszedł, wybrał sobie stolik przy oknie, zamówił kotlet i kiedy już się pochylał nad pełnym talerzem, usłyszał głos kelnera:

– O, o! Proszę pana, czy pan widzi? Bociany odlatują…

I wtedy bocian zostawił talerz z kotletem schabowym, podbiegł do okna, krzyknął:

– Poczekajcie! Lecę z wami!

I odleciał. W zielonych kaloszach, w pelerynie z kapturem, w okularach… Peleryna łopotała na wietrze, okulary zsuwały mu się z dzioba, kalosze były ciężkie.

– Poczekajcie! – wołał bocian. – Tyle mam na sobie ciuchów, że nie mogę za wami nadążyć.

– A kto ci kazał urządzać taką maskaradę? – zaklekotali wszyscy krewni i znajomi.

– Sowa! – jęknął bocian i machnął nogą, żeby się pozbyć prawego kalosza.

– Ale cię ubrała! – roześmiały się bociany. – Zdejmij to wszystko, bo inaczej naprawdę za nami nie nadążysz. A na przyszłość, jeśli będziesz miał jakieś kłopoty z łowieniem żab, idź po rozum do głowy i nie chodź po radę do sowy, ale poradź się pierwszego lepszego bociana. Bo nawet najmądrzejsza sowa nie zna się na żabach tak dobrze, jak pierwszy lepszy bocian.

Bajka

o mądrych dębach, wesołych ptakach,
srogiej zimie i zarozumiałym wietrze

Dawno, dawno temu, wtedy kiedy na ziemi nie było jeszcze wcale miast ani wsi, tylko wszędzie szumiała olbrzymia i zielona puszcza – przyleciał do tej puszczy wiatr.

Wiatr był okropnie zarozumiały, zadzierał nosa do góry i wrzeszczał na całe gardło, że nikt nie umie fruwać lepiej niż on i nikt nie potrafi śpiewać tak pięknie jak on:

> *– Wiedzą o tym wszystkie drzewa,*
> *kasztan, jesion oraz klon,*
> *że najpiękniej w świecie śpiewam*
> *i głos mam niby dzwon.*
> *Wie to kasztan oraz klon,*
> *że głos mam niby dzwon!*

– To prawda – przyznały drzewa – że śpiewasz głośno, ale naszym zdaniem ładniej śpiewają ptaki.

– Ptaki? A gdzie one są? – zdziwił się wiatr.

– Schowały się przed tobą w naszych zielonych gałęziach, bo bały się, że potargasz im pióra. Dmuchałeś przecież tak mocno…

– Zaraz dmuchnę jeszcze mocniej! – zezłościł się wiatr. – Tak mocno, że pozrywam wszystkie liście i wygonię wszystkie ptaki z lasu. A wtedy nikt już nie będzie mówił, że ptaki śpiewają ładniej niż ja!

Tak właśnie zawołał wiatr i zaraz zaczął oskubywać liście z drzew, wyjąc na cały głos:

> *– Ptasich śpiewów ja nie lubię,*
> *więc oskubię liście z drzew,*
> *a jak liście z drzew oskubię,*
> *zamilknie ptasi śpiew.*
> *Jak oskubię liście z drzew,*
> *zamilknie ptasi śpiew!*

I właśnie wtedy odezwały się dęby, które stanęły w obronie ptaków:

– Nie pozwolimy, żeby wiatr pozrywał nasze liście, bo ptaki stracą schronienie – powiedziały twardo. I tak mocno trzymały liście na gałęziach, że wiatr rzeczywiście nie mógł ich zerwać.

Przez całą jesień szarpał i dmuchał, dmuchał i szarpał – i nic. Nie zerwał ani jednego dębowego liścia w październiku, nie zerwał w listopadzie. I nawet w grudniu mu się nie udało.

Chociaż przyszła sroga zima
i przyniosła straszny ziąb,
dąb swe liście mocno trzymał,
nie stracił liści dąb.
Chociaż przyszedł straszny ziąb,
nie stracił liści dąb.

Dębowe liście skręciły się, pomarszczyły, posiwiały od szronu i mrozu, ale ani wiatr, ani zima nie zdołali strącić liści dębowych z drzew. A na gałęziach, pod osłoną dębowych liści, każdego dnia siadały ptaki i wesołą piosenką dziękowały dębom za to, że dały im schronienie i obroniły przed zimą i wiatrem.

Tak było kiedyś i tak jest do tej pory. Od listopada aż do kwietnia, wtedy kiedy na innych drzewach nie ma już ani jednego listka, dęby mocno, najmocniej jak mogą, trzymają swoje pomarszczone i poskręcane wiatrem liście na gałęziach i starają się nie zgubić ani jednego. I zawsze, każdego roku, wygrywają walkę z wiatrem i zimą, a ptaki dziękują im za to swoją ćwierkającą i skrzydlatą piosenką:

– Duże dęby, małe dąbki
pozwijały liście w trąbki,
pozwijały, poskręcały,
ptaki w liściach przechowały.
Nie zaszkodził ptakom ziąb,
bo je w liściach ukrył dąb.

Dzięki dębom i dębczakom
wiatr nie zrobił krzywdy ptakom.
Niech się dowie ten, kto nie wie,
jaka siła jest w tym drzewie –
choć wiatr trąbił jak sto trąb,
walkę z wiatrem wygrał dąb!

Bajka

o kolczastym jeżu, kicającym zajączku,
czarnej wronie, dobrym kocie i białym śniegu

Był sobie pewien jeż, który nigdy nie widział śniegu. Nie widział i nawet mu się nie śniło, że na świecie coś takiego istnieje, bo całą zimę przespał pod krzakiem jeżyny w towarzystwie rodziny. I dopiero kiedy na wiosnę obudził się z zimowego snu, zobaczył zające kicające po łące i usłyszał piosenkę:

> – *Kwiatuszek, trawka, ziółko, łączka*
> *to jest radość dla zajączka.*
> *Mądry zając kiedyś rzekł:*
> *– Trawa lepsza jest niż śnieg.*
>
> *Listeczek, trawka i kwiatuszek,*
> *można napchać sobie brzuszek.*
> *Mądry zając mądrze rzekł:*
> *– Trawa lepsza jest niż śnieg.*

Tak właśnie śpiewał zajączek, a jeż, usłyszawszy piosenkę, pomyślał sobie: Śnieg? Nie mam pojęcia, co to takiego, ale może zajączek mi powie?

I zaraz podreptał do zajączka, żeby się o to zapytać.

– Przepraszam, zajączku, czy mógłbyś mi wytłumaczyć, jak wygląda śnieg?

Ale zajączek nie miał czasu na długie tłumaczenie, bo inne zajączki wołały go właśnie do zabawy, więc powiedział jeżykowi tylko tyle, że śnieg jest biały, i zaraz pokicał na środek łąki, żeby się bawić z kolegami zajączkami w kicanego berka.

Prawie przez całą wiosnę szukał jeżyk śniegu i codziennie powtarzał, żeby nie zapomnieć:

– Śnieg jest biały, śnieg jest biały…

Jeżeli śnieg jest biały – pomyślał sobie któregoś dnia – to zdaje mi się, że go właśnie widzę! – I bardzo z siebie zadowolony podreptał w stronę kępy białych stokrotek rosnących pod drzewem.

– Zajączku, hop, hop! Zajączku, znalazłem śnieg!

– Zajączek jest terrraz barrrdzo daleko i wcale cię nie widzi – zakrakała wrona siedząca na drzewie – a ja muszę cię zmarrrtwić, bo to, co znalazłeś, wcale nie jest śniegiem, tylko stokrrrotką…

– A jak wygląda śnieg?

– Jest biały i umie frrruwać – powiedziała wrona i frrr! – frunęła z jednej gałęzi na drugą.

– Śnieg jest biały i umie fruwać… Śnieg jest biały i umie fruwać – powtarzał sobie jeżyk, patrząc do góry. Nagle krzyknął uradowany: – Jeżeli śnieg jest biały i umie fruwać, to znaczy, że to, co leci teraz do góry, jest właśnie śniegiem!

– Znowu się mylisz – powiedziała wrona. – To wcale nie jest śnieg, to latawiec. Śnieg jest wprawdzie biały i umie fruwać, ale nigdy nie leci z dołu do góry, zawsze tylko z góry na dół! – To powie-

dziawszy, odfrunęła z drzewa i poleciała w ślad za białym latawcem, bo miała mu coś bardzo ważnego do powiedzenia.

– Śnieg jest biały i spada z góry – powtórzył jeżyk raz, a potem jeszcze drugi raz i trzeci, i tak sobie powtarzał, powtarzał, aż z wiosny zrobiło się lato, a on zawędrował w pobliże jakiegoś płotu, pod którym siedział kot.

– Śnieg jest biały i leci z góry… Ojej! Śnieg. Nareszcie widzę śnieg!

– Ależ głuptasie – powiedział kot – to wcale nie jest śnieg, tylko piórka lecące z poduszki. Nie widzisz, że moja pani trzepie właśnie poduszkę?

– A ty co tutaj robisz? – zapytał jeżyk.

– Czekam. Pani powiedziała, że jak wytrzepie poduszkę, naleje mi czegoś pysznego na spodek.

– A czego?

– Sam zobaczysz. I ciii… nie mów już nic, bo moja pani właśnie idzie…

Zwinął się jeż w kulkę, przycupnął pod płotem, patrzy, a na miskę leci coś białego. Coś białego, coś takiego, co leci z góry na dół…

– Śnieg! Śnieg! Już teraz wiem, jak wygląda śnieg! – zawołał jeżyk i z wielkiej radości zaczął tańczyć naokoło kota, śpiewając taką piosenkę:

– Koteczek, płoteczek, w płotku dziury,
biały śnieżek leci z góry,
miska pełna jest po brzeg –
już wiem teraz, co to śnieg!

– Ależ skąd – powiedział kot – to wcale nie jest śnieg, to mleko! Masz, spróbuj, jakie smaczne! – i podsunął miskę w stronę jeżyka.

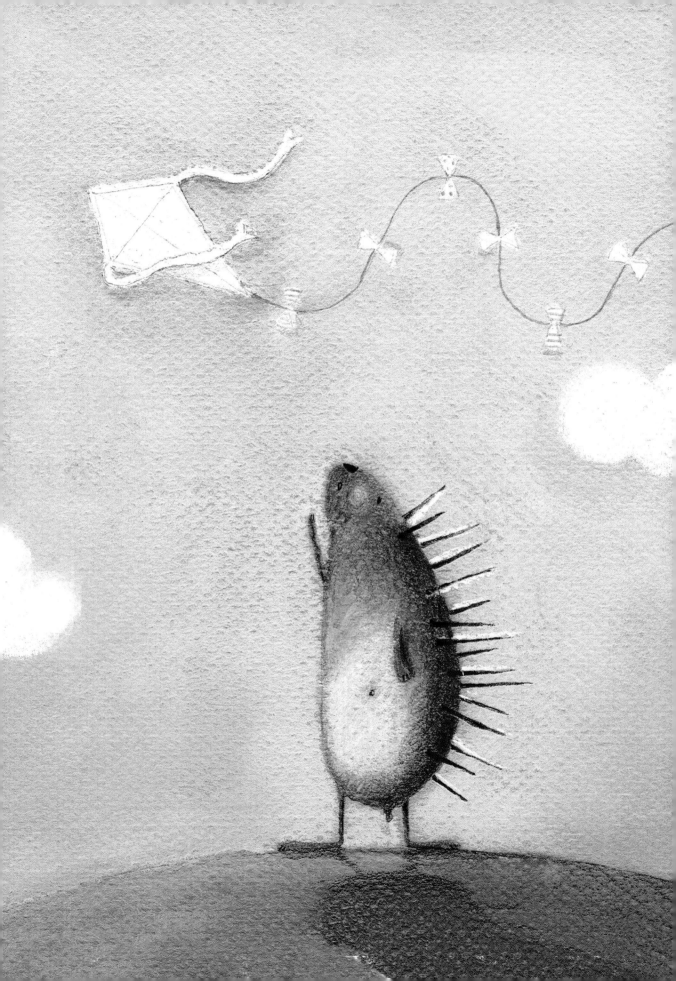

– Smaczne, naprawdę smaczne! – powiedział jeż i jak się przypiął do miski, to przez całe lato od niej nie odchodził. Wypił jedną miskę mleka, wypił drugą i trzecią – potem zaczął ziewać, ziewać i poczuł, że jest okropnie śpiący.

Zmęczyłem się tym szukaniem śniegu – pomyślał – okropnie się zmęczyłem, więc teraz pójdę chyba do swojego domku, żeby się trochę przespać. A jak już się zbudzę, to znowu zacznę szukać, bo przecież muszę się w końcu dowiedzieć, co to takiego ten śnieg…

Tak właśnie pomyślał jeżyk i zapadł w zimowy sen. Kiedy się obudzi, znowu pewnie spotka zajączka i cała historia zacznie się na nowo.

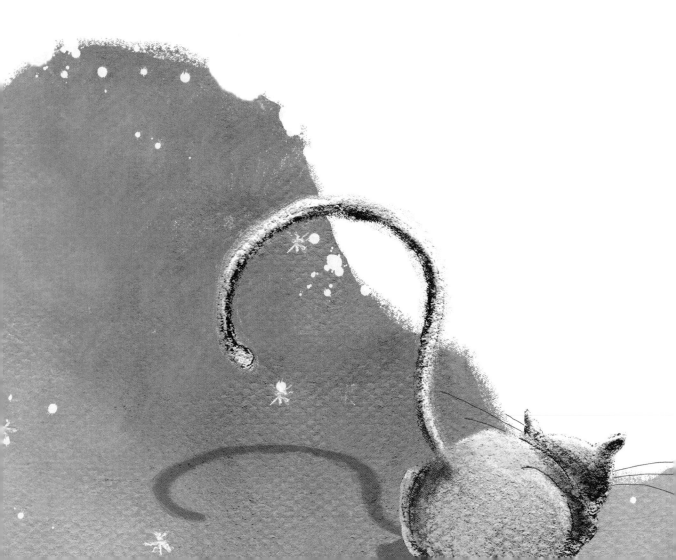

Bajka

o słoniowej trąbie i słoniowych uszach

Myślicie, że słonie zawsze miały takie długie trąby i takie wielkie uszy jak teraz? Nie miały. Miały bardzo zgrabne uszki i bardzo zgrabne, malutkie noski. Tylko nogi miały zawsze duże i grubą skórę, bo od początku świata wszystkie słonie były gruboskórne.

I właśnie kiedyś jeden taki gruboskórny słoń zobaczył trzy małpki, które siedziały na daktylowej palmie i zrywały daktyle.

Ale te małpy mają słodkie życie! – pomyślał słoń i zaraz zaczął głośno ryczeć:

– Małpy mają słodkie życie,
a nie takie, jak ma słoń –
mogą huśtać się na szczycie
i daktyle łapać w dłoń.
Małpa daktyl łapie w dłoń,
pod drzewem stoi słoń.
Ja daktyle także lubię,
ale ich nie mogę jeść,
bo daktyle są na czubie –
a na czub nie umiem wleźć.
Choćbym bardzo chciał je zjeść,
na czub nie mogę wleźć.

Tak właśnie ryczał słoń, a małpki okropnie się tym przejęły i zaraz zaczęły słoniowi rzucać daktyle, żeby sobie podjadł. A kiedy rzucały, to śpiewały taką piosenkę:

– Ty na dole, my na górze –
nic się nie martw, daktyl chwyć,
nie złość się już, słoniu, dłużej,
chcemy z tobą w zgodzie żyć.
Nic się nie martw, daktyl chwyć,
chcemy z tobą w zgodzie żyć.

Ale gdy tylko małpki powiedziały, że one są na górze, a słoń na dole – słoń ryknął ze złością:
– Możecie się wypchać tymi daktylami! Ja na dole, a wy górą? Nie potrzebuję waszej łaski i nie musicie się przede mną popisywać swoją zręcznością. Jeszcze zobaczymy, kto będzie górą!

Tak właśnie krzyczał i zaraz zaczął tupać ze złości swoimi czterema wielkimi nogami. Tupnął raz – w ziemi zrobił się dołek. Tupnął drugi raz – dołek powiększył się… I wtedy słoń zatrąbił bardzo głośno:

– Czekajcie, małpy! Już ja was urządzę! – A potem znów zatrąbił, ale już znacznie ciszej:

> – Dół wykopię pod daktylem,
> wszystkie małpy wpadną w dół,
> a ja będę wtedy górą
> i będę na was pluł.
> Wszystkie małpy wpadną w dół –
> ja będę na nie pluł.

I rzeczywiście wykopał dół. Ale jak wykopał, to sam się wkopał, bo dół był taki głęboki, że słoń nie mógł się absolutnie wydostać. Więc się przestraszył i zaczął płakać:

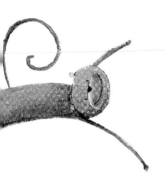

> – Tak się wkopać przeokropnie
> to już koniec, szkoda łez.
> Niech to wszystko małpa kopnie,
> ratunku – SOS!
> Teraz koniec, szkoda łez,
> ratunku – SOS!

– Nie ma rady – powiedziały małpki – tylko trzeba słonia z tej opresji wyciągnąć. Wprawdzie kopał pod nami dołki i niezbyt ładnie się o nas wyrażał, ale nie możemy go tak zostawić.

I zaraz zeskoczyły z drzewa, żeby słonia z dołu wyciągnąć. Jedna złapała za jedno ucho, druga za drugie, trzecia za nos… Ciągną, ciągną – wyciągnąć nie mogą. Ciągną, ciągną – wyciągnąć nie mogą. Ale w końcu wyciągnęły. A jak wyciągnęły, to się okazało, że małe i zgrabne słoniowe uszki też się wyciągnęły i stały się wielgachnymi słoniowymi uszami, a mały nosek zamienił się w wielką trąbę…

I odtąd wszystkie słonie mają wielkie słoniowe trąby, żeby głośno trąbić, i wielkie słoniowe uszy, żeby dobrze słyszeć to, co wszystkie słonie usłyszeć powinny:

> – Dół kopałem pod małpami
> i nauczkę teraz mam,
> że kto dołki pod kim kopie,
> przeważnie wpada sam.
> Dół kopałem – wpadłem sam,
> nauczkę teraz mam.

Bajka

o żyrafie, która kupiła sobie kapelusz

Była kiedyś żyrafa, która miała imię równie długie jak szyję, a szyję równie długą jak imię. Oczywiście to imię nie było podobne do żadnego innego imienia, natomiast szyja przypominała palmowy pień i tak była z daleka do niego podobna, że niektóre palmy myliły się, mówiły przez pomyłkę do żyrafy: „kuzynko", i ogromnie zmartwione tym, że kuzynka nie ma liści na głowie, śpiewały jej od czasu do czasu taką piosenkę:

> *– Kuzynko, ach, kuzynko,*
> *wciąż chodzisz z gołą głową,*
> *a chodzić z gołą głową*
> *okropnie jest niezdrowo.*
> *Słoneczko mocno grzeje,*
> *a głowa cień mieć musi,*
> *kuzynko, ach, kuzynko,*
> *kup sobie kapelusik.*

Jak długo żyję, nigdy nie miałam kapelusza – pomyślała któregoś dnia żyrafa. – Ale skoro palmy uważają, że kapelusz jest konieczny, to nie ma innej rady, tylko będę musiała iść do modystki.

I zaraz powędrowała do pewnej papugi, która miała pracownię kapeluszy.

– Dzień dobry, kochana papugo…

– Dzień dobrrry, drrroga żyrrrafo! – odpowiedziała papuga.

– Chciałabym sobie wybrać jakiś kapelusz.

– Prrroszę barrrdzo, barrrrdzo prrrrroszę – zaskrzeczała papuga i zaprezentowała żyrafie wszystkie modele, które miała akurat w sklepie:

> – Do kolorru, do wyborru,
> kapeluszy cały kram:
> z liści, z piórek i ze skorrup
> dla wytwornych młodych dam.
> Z futra małpy, z piórek strusich
> i z palmowych liści też,
> więc wybierraj kapelusik,
> wybierz sobie, jaki chcesz.

– Chodzi mi właśnie o taki kapelusz z palmowych liści – wyjaśniła żyrafa.

– Barrdzo prrroszę, barrdzo prrroszę! – zawołała papuga i raz-dwa włożyła żyrafie na głowę kapelusz z palmowych liści.

– Jak wyglądam? – zapytała żyrafa.

– Barrdzo wytworrnie – odpowiedziała papuga.

– A możesz mi dać lusterko, żebym się przejrzała? – poprosiła żyrafa.

– Niestety, mogę ci dać tylko słowo honoru, że bardzo wytwornie wyglądasz, ponieważ słowo honoru mam, a lusterka, niestety, nie… Ale oprócz słowa honoru mogę ci dać również radę – kiedy wczoraj rano przelatywałam nad murzyńską wioską, widziałam beczkę pełną

wody. Myślę, że w tej beczce przejrzysz się równie dobrze jak w lusterku – poinformowała ją papuga i żyrafa wyruszyła zaraz na poszukiwanie beczki.

Idzie, idzie, rozgląda się – nie ma beczki… Idzie, idzie, rozgląda się – znalazła!

– Ojej, jak to trudno przejrzeć się w takim małym lusterku! Widzę tylko kawałek mojego zielonego kapelusza… Tylko dlaczego ten kapelusz tak się rusza? I dlaczego woła „kum, kum"?

– Bo to nie jest twój kapelusz, ale moja głowa – zakumkała z głębi beczki zielona żabka. – Nie widzisz, że się właśnie kąpię? A jeśli szukasz lustra, idź nad jezioro.

Myślę, że jezioro będzie bardziej odpowiednim lustrem dla żyrafy niż beczka z wodą.

– Dziękuję ci, żabko – powiedziała żyrafa i poszła szukać jeziora.

Idzie, idzie, rozgląda się – nie ma… Idzie, idzie, rozgląda się – jest! Stanęła nad jeziorem, żeby się przejrzeć, popatrzyła w wodę i w krzyk:

– Ale mnie ta papuga ubrała! Wcale nie wyglądam wytwornie, tylko potwornie! Tak potwornie, że sama siebie nie mogę poznać.

– Bo to wcale nie jesteś ty, tylko ja – powiedział wielki krokodyl i powoli wychylił się z wody. – Zdaje mi się, że szukasz lusterka, prawda?

– Tak, rzeczywiście – odpowiedziała żyrafa.

– Nasze jezioro jest pełne krokodyli i obawiam się, że ile razy spojrzysz w wodę, tyle razy zamiast swojego odbicia zobaczysz któregoś z moich braci. Ale jeśli koniecznie chcesz się przejrzeć, spójrz na niebo… Widzisz, jakie wielkie, okrągłe lustro? W sam raz dla żyrafy. Jeśli jeszcze trochę wyciągniesz szyję, jestem pewny, że zobaczysz w nim swoje odbicie – powiedział krokodyl i pokazał żyrafie księżyc.

Ale chociaż żyrafa całą noc stała pod księżycem i całą noc wyciągała szyję, nie udało jej się przejrzeć w księżycu i w dalszym ciągu nie wiedziała, jak wygląda. I pewnie już się nigdy nie dowie, bo nad ranem, kiedy lustro zniknęło z nieba, żyrafa poczuła taki głód, że nie myśląc wiele, zjadła na śniadanie swój piękny, nowy kapelusz z palmowych liści.

I odtąd żadna żyrafa nie chodzi w kapeluszu, natomiast wszystkie jedzą palmowe liście, uważając, że to jest znakomity przysmak.

Bajka

o kukułce, zegarze i zegarmistrzu

Był sobie kiedyś las, w lesie rosły drzewa, na drzewach mieszkały kukułki, a pod lasem mieszkał pan zegarmistrz, który robił różne zegary i poza zegarami nie widział świata. Prawdę powiedziawszy nie tylko nie widział, ale nawet nie słyszał – ani tego, jak drzewa w lesie szumiały, ani jak kukułki kukały, bo przez całe dni patrzył tylko na zegarki i zegary, na wskazówki i sprężyny, na minuty i godziny i słuchał, jak odmierzają czas:

– Tik-tak, tik-tak, tik-tak…

Tak właśnie sobie żył, a ponieważ niczym innym poza swoją pracą się nie interesował, doskonale znał obyczaje zegarów, ale zupełnie nie znał obyczajów kukułek i nawet nie bardzo wiedział, jak te kukułki wyglądają. I dlatego pewnego dnia, kiedy przez otwarte okno do pokoju pełnego zegarów wpadła kukułka, pan zegarmistrz ukłonił się uprzejmie i powiedział:

– Dzień dobry, jaskółko.

– Nie jestem jaskółką, tylko – kuku… – kuknęła kukułka.

– Kuku co? – zdziwił się zegarmistrz.

– Kukułką – zakukała w odpowiedzi i popatrzyła na wskazówki.

– Jest teraz godzina czwarta – poinformował ją pan zegarmistrz, bo myślał, że kukułka przyleciała do niego po to, żeby się spytać o godzinę.

– Kuku, kuku… – zakukała.

– Nie kuku, kuku – poprawił ją pan zegarmistrz – tylko kuku, kuku, kuku, kuku. Czwarta, rozumiesz?

Ale kukułka powiedziała, że wcale jej nie zależy na tym, czy jest czwarta, czy piąta, i zaczęła się rozglądać po kątach. Zaglądała w różne kąty i zakamarki, oglądała od tyłu i od przodu wszystkie zegarki, a pan zegarmistrz zupełnie nie wiedział, o co jej chodzi. Kukała, kukała i najwidoczniej czegoś szukała.

A potem nagle usiadła na głowie pana zegarmistrza, na jego pięknej wełnianej czapeczce podobnej do gniazdka, którą mistrz zawsze nosił przy pracy, żeby sobie nie przeziębić łysiny – zniosła jajko i odleciała.

– Kukułko! – krzyknął pan zegarmistrz, łapiąc się za głowę. – Zgubiłaś jajko.

– Kuku, kuku! Tere-fere kuku! – odkukała z głębi lasu kukułka. – Nie zgubiłam, ale podrzuciłam, bo kukułki nigdy nie składają jajek we własnych gniazdach, tylko zawsze podrzucają je innym.

No i pan zegarmistrz został z jajkiem. Oczywiście obchodził się z tym jajkiem jak z jajkiem, bo co miał robić?

Zdjął je ostrożnie z czapki. Powiedział:

– Mam to z głowy!

Włożył jajko jeszcze ostrożniej do szafki, do takiej specjalnej szafki, którą zrobił w jednym ze ściennych zegarów, i zamknął drzwiczki, żeby sobie spokojnie leżało.

A ponieważ na obyczajach jajek pan zegarmistrz także się nie znał, bardzo się zdziwił, kiedy któregoś dnia punktualnie o godzinie pierwszej szafka ściennego zegara zaczęła nagle chrobotać, drzwiczki się otworzyły i z wielkim kukaniem wyskoczyła z nich malutka kukułka.

– Kuku, kuku, kuku… – zakukała dwanaście razy. – Z jajka się wyklułam, chcę mieszkać w zegarze i będę kukała, ile razy każesz.

– Jeśli tak – powiedział pan zegarmistrz – to raz na zawsze musisz zapamiętać, że o pierwszej nie wolno ci kukać dwanaście razy, ale tylko raz, bo dwanaście musisz sobie zostawić na godzinę dwunastą. O pierwszej – raz, o drugiej – dwa razy, a ile o trzeciej – to już sami wiecie. I ty, i zegar…

Tak właśnie powiedział pan zegarmistrz i w ten sposób pojawił się na świecie pierwszy zegar z kukułką.

– Kuku… – powtórzyła sobie kukułka. – Kuku, kuku… – i w ciągu jednego dnia nauczyła się wszystkiego na pamięć.

A po trzystu sześćdziesięciu czterech dniach, kiedy z małej kukułki zmieniła się w dorosłą, wyskoczyła któregoś ranka z zegara i oprócz zwykłego „kuku, kuku" wykukała z siebie tuzin małych kukułczych jajek, z których wylęgły się następne kukułki, dla których trzeba było przygotować miejsca w następnych zegarach.

A ponieważ kukułek było coraz więcej i co roku przybywały nowe – pan zegarmistrz nie miał czasu na zajmowanie się żadnymi innymi zegarami i żadnych innych od tej pory nie robił, tylko w kółko – zegary z kukułką, zegary z kukułką, zegary z kukułką…

Bajka

o dwóch kotach, z których jeden był czarny, a drugi biały

– Były sobie koty dwa,
koty dwa, koty dwa,
czarno-białe obydwa,
obydwa!

Tak przynajmniej o sobie śpiewały, chociaż, ściślej mówiąc, jeden był całkiem czarny, a drugi całkiem biały. Ale kiedy w czasie zabawy turlały się po podłodze albo kiedy zmęczone, przytulone do siebie spały obok swojej mamy, wyglądały zupełnie jak jeden puszysty czarno-biały kłębek.

I właśnie pewnego dnia, kiedy się obudziły te koty dwa i ziewały – aaa – kocia mama powiedziała do nich tak:

– Miau… miau… miał być dzisiaj deszcz, ale widzę, że jest piękna pogoda i słońce świeci, więc idźcie na spacer, moje dzieci. Pobiegajcie sobie trochę po podwórku, a ja usiądę w oknie i będę na was patrzyła.

Jejku, jak się te koty ucieszyły! Tak się ucieszyły, że zaraz przestały ziewać i zaczęły śpiewać:

– Z czarnym bratem biały brat,
biały brat, biały brat,
pójdą sobie zwiedzać świat,
pójdą w świat!

I poszły. Wdrapały się na próg, wyszły na podwórko, rozglądają się, patrzą – w budzie siedzi pies. A ponieważ nigdy w życiu nie widziały jeszcze psa i nie wiedziały, że pies to pies – bardzo głośno zamiauczały i jeszcze głośniej zawołały:

– Mamo, mamo, kto to jest?!

– Pies! – odpowiedziała mama siedząca w oknie. – Ale nie bójcie się, bo to jest porządny pies i ogromnie lubi koty. Więc nie uciekajcie, tylko podejdźcie bliżej, ukłońcie się ładnie i przedstawcie...

Tak właśnie powiedziała kocia mama i nie patrząc na dzieci, zwróciła się bezpośrednio do psa:

– Widzi pan, jakich ładnych mam synków? Jeden jest czarny, a drugi biały i myślę, że bardzo mi się te dzieci udały.

– Jeśli jeden jest czarny, a drugi biały – powiedział pies – to widocznie mój wzrok już zupełnie zszedł na psy, bo ja tutaj na podwórku widzę, proszę pani, dwa zupełnie białe koty...

– Jak to dwa białe? – zdziwiła się kotka i prędko wychyliła się z okna, żeby przyjrzeć się swoim synkom. A jak się przyjrzała, to z przerażeniem zawołała:

– Jeden biały, drugi biały,
cóż to znowu za kawały?
Jeden biały, drugi biały,
a gdzie czarny?

– W mące cały! – zamiauczał jeden z białych kotków i stuknął łapką drugiego białego. – Bo on przed chwilą, proszę mamy, wtedy

kiedy mama na nas nie patrzyła, wlazł do worka z mąką i z czarnego zrobił się biały!

— No to – powiedziała kotka – nie ma rady, tylko musicie wracać do domu i zająć się myciem, żeby ten czarny kot stał się z powrotem czarnym kotem, bo inaczej nie będę was mogła odróżnić i nie będę wiedziała, który jest który.

— Oj, mamo, pospacerujemy jeszcze trochę! – poprosiły koty. – Mycie będzie później, a na razie pozwól nam jeszcze trochę pospacerować, bo tutaj jest tak ładnie. Słońce świeci, ptaszek leci…

— Ptaszek? – zdziwiła się kotka i spojrzała na podwórko. – Ach tak, to moja znajoma kura zeskoczyła właśnie z grzędy… Dzień dobry, pani kuro, widziała już pani moich synków? Jeden jest czarny, a drugi biały, ale przed chwilą ten czarny wlazł do worka z mąką i teraz obydwa wyglądają jak białe.

— Ko-ko-ko-kolorów nie odróżniam czy co? – zagdakała kura. – Jakie białe? Przecież ja tutaj wyraźnie widzę dwa czarne ko-ko-koty!

— Czarne? – miauknęła kotka i czym prędzej wychyliła się jeszcze bardziej przez okno. – Słowo pani daję, że przed chwilą były zupełnie białe! Były białe, a teraz są czarne…

— Ach, rozumiem – rzekła kura – to ta rura!

— Jaka rura?

— Bo jak mama, proszę mamy, zobaczyła kurę – to myśmy, proszę mamy, wlazły w rurę! – zamiauczały koty, które rzeczywiście były teraz zupełnie czarne. – I tam były sadze w tej rurze od pieca, i z tego wszystkiego zrobiła się heca! Czarne koty wyszły z rury i nie wiedzą, który – który?

— Ja też nie wiem – powiedziała kocia mama. – Ale jak się umyjecie, to od razu wszystko się wyjaśni. – I wysłuchawszy kociej piosenki, pokazała dzieciom drzwi do łazienki. A piosenka była taka:

– Czarny włos ze wszystkich stron,
wszystkich stron, wszystkich stron –
czy to jestem ja, czy on?
Ja czy on?
Czarne koty, czarne dwa,
obydwa, obydwa,
czy to jestem on, czy ja?
On czy ja?

Ale kiedy się umyły, wszystko się wyjaśniło i ani mama, ani one same nie miały już żadnych wątpliwości, który kot jest czarnym kotem, a który białym. A potem biały przytulił się do czarnego, czarny do białego tak mocno, że znów wyglądały jak jeden puszysty czarno-biały kłębek i zasnęły ukołysane kołysanką, którą zaśpiewała im na dobranoc kocia mama:

– Mycie niejedną sprawę wyjaśnia
nie tylko w życiu, lecz również w baśniach,
no i dlatego w baśniach i w życiu
trzeba pamiętać zawsze o myciu.
No i dlatego w baśniach i w życiu
trzeba pamiętać – o czym? – o myciu!

Bajka

o konikach z karuzeli

Pewnego dnia na smutną podmiejską łąkę, na łąkę, która już od dawna nie widziała koni, przyjechało wesołe miasteczko i łąka od razu poweselała, bo na środku wesołego miasteczka zakręciła się karuzela z siedmioma drewnianymi konikami.

– Proszę wsiadać! – wołał właściciel karuzeli i trzaskał batem. – Proszę wsiadać, bo zaraz ruszamy w podróż – mówił, wtykając dzieciom do rąk różowe bilety. I jak z rękawa sypał wierszykami:

> – Proszę wsiadać na konika,
> bo już konik nóżką fika.
> Od ogona aż do grzywy
> każdy konik jest jak żywy.
> Od ogona aż do pęcin
> każdy się potrafi kręcić!

Tak właśnie wołał i wcale nie podejrzewał, że jego malowane, drewniane konie umieją się kręcić nie tylko dookoła karuzeli, lecz potrafią coś znacznie trudniejszego – że każdy z nich umie się zmieniać z konia drewnianego w konia prawdziwego. Jeden w kowbojskiego, drugi w cyrkowego, trzeci w ułańskiego…

Ale zmieniały się tak dopiero wtedy,
kiedy poczuły na swoim grzbiecie właściwego jeźdźca. Bo
kiedy na konia, który umiał się zmieniać w konia kowbojskiego, zamiast kowboja wsiadł na przykład ułan – nic z tego
nie wychodziło. Koń przez cały czas podróży dookoła karuzeli był tylko zwyczajnym drewnianym koniem z karuzeli,
a siedzący na jego grzbiecie jeździec – zwyczajnym chłop-
cem, który za dwa złote kupił sobie bilet na karuzelę.

Oczywiście, dzieci kupujące bilety wcale o tym z początku nie wiedziały – bo skąd miały wiedzieć? – ale potem się dowiedziały i zaczęły próbować. Sprawa była trud-
na i za pierwszym razem prawie nikomu nie udawało się trafić na właściwego konia, ale jak ktoś miał cierpliwość i nie
rezygnował, tylko bardzo długo próbował, to w końcu przy-
chodziła taka chwila, kiedy karuzela znikała z oczu, wesołe
miasteczko rozpływało się w kolorowej mgle i zaczyna-
ły się dziać takie rzeczy, jakie zdarzają się tylko w pio-
senkach.

Malowane konie rżały i cwałowały, jeźdźcy
wołali: „Wiśta! i wio!", a z wielkiego i bardzo
głośnego głośnika leciała:

Piosenka o siedmiu konikach

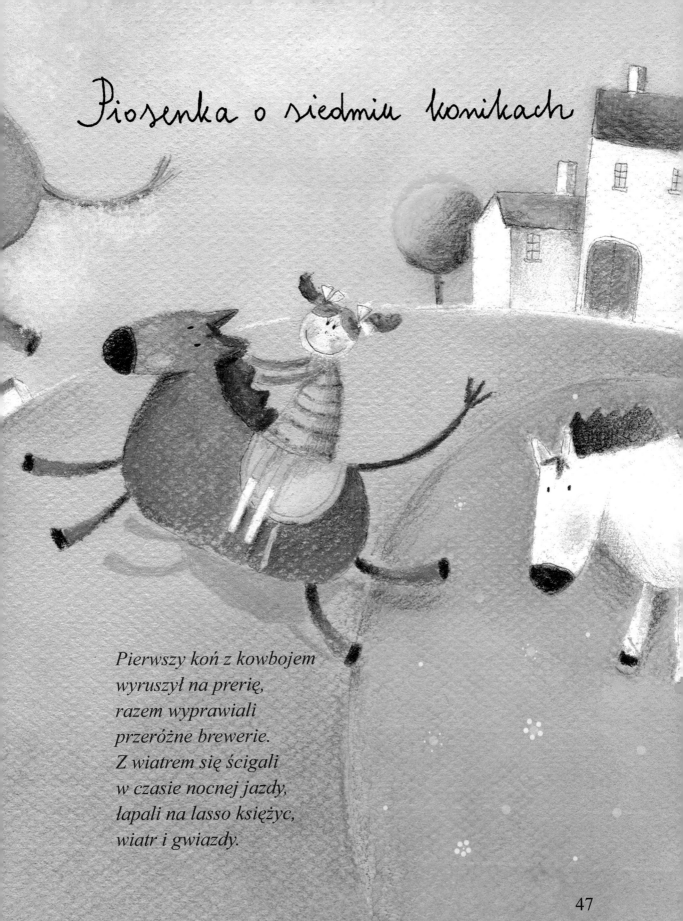

Pierwszy koń z kowbojem
wyruszył na prerię,
razem wyprawiali
przeróżne brewerie.
Z wiatrem się ścigali
w czasie nocnej jazdy,
łapali na lasso księżyc,
wiatr i gwiazdy.

Drugi koń – dżokeja
niósł na swoim grzbiecie,
pobiegł na wyścigi,
pierwszy był na mecie.
Wszystkie inne konie
pozostawił w tyle
i nawet najszybsze
wyprzedził o milę.

Trzeci koń z rycerzem
ruszył na turnieje
przez lasy, przez góry
i przez dzikie knieje.
Wszystkich zwyciężali,
nikt im rady nie dał,
a rycerz się cieszył:
– To jest koń na medal!

Czwarty – z woltyżerką,
piękną jak marzenie,
tańczył bardzo ładnie
w cyrku na arenie.
Zaczął krakowiakiem,
a zakończył twistem –
dwieście kostek cukru
dostał za ten występ.

Piąty koń wśród Indian
i wigwamów mieszkał,

jeździł z Wielkim Wodzem
po indiańskich ścieżkach.
A kiedy z wojennej
wyprawy wracali,
to fajkę pokoju
przy ognisku palił.

Na szóstego konia
wsiadł ułan wąsaty
i wszystkie dziewczyny
rzucały im kwiaty.
Kwiat za kwiatem leciał
prosto do ułana,
a ułański konik jadł je
zamiast siana.

A ten siódmy konik
zmienił się w źrebaka –
cały dzień po łące
razem z dziećmi skakał.
A gdy dzieci poszły
spać po dobranocy,
to ten siódmy konik
śnił się dzieciom w nocy...

Bajka

o kurczaku, który nie był kurczakiem

Na wiosnę, na wiosnę, gdy nadchodzą święta, wyskakują z jajek żółciutkie kurczęta. Jedno właśnie wyszło, drugie już wychodzi, mama kwoka gdacze:

– Kurczak się urodził!

Wyskoczyły z jajek – jeden, drugi, trzeci… Tata kogut zapiał:

– Śliczne mamy dzieci. Jeden piegowaty, a drugi żółciutki – wyrosną z nich piękne ko-ko-ko-ko-kogutki.

– I ko-ko-kogutki, i ko-ko-kokoszki – powiedziała mama kura. – Wszystkie kogutki będą, oczywiście, podobne do ciebie, a wszystkie kokoszki do mnie. Już nawet teraz widać rodzinne podobieństwo. I patrz tylko, mężu – z jajek się wykluło już czworo kurczątek, a teraz, uwaga, gramoli się piąte. No chodź, kurczaku, chodź…

– Coś mi się zdaje, że ten piąty kurczak jest jakiś inny – odezwał się kogut.

– Jak to inny?

– Nóżki ma krótsze…

– Nóżki ma krótsze, ale za to dziób dłuższy! – obraziła się mama kwoka.

– Krótsze i takie jakieś… jakby trochę krzywe… – upierał się kogut.

– Wcale nie ma krzywych nóżek, tylko ty na niego krzywo patrzysz. Moim zdaniem jest tak samo śliczny jak i pozostałe i nie pozwolę powiedzieć na niego złego słowa! – tupnęła nogą kura i zaraz wyprowadziła dzieci na pierwszy wiosenny spacer.

Niebo było niebieskie, słońce świeciło i mamie kwoce zdawało się, że cały świat śpiewa piosenkę o niej i o jej ślicznych puszystych kurczątkach.

– Wyszła kwoka na podwórko,
dzieci za nią idą.
Patrzcie, patrzcie, patrzcie tylko,
jaki piękny widok.
Liczy kwoka swe kurczaki –
jeden, drugi, trzeci,
czwarty, piąty… Gdzie jest piąty?
Powiedzcie mi, dzieci?

– Kwa, kwa, nie mogę zdążyć. Kwa, kwa, za prędko idziecie. Kwa, kwa, nie widzicie, że ja mam krótsze nóżki? – zawołał piąty kurczak.

– Mamo, po jakiemu on mówi? Bo my przecież nie mówimy „kwa, kwa" tylko „pi, pi, pi…" – zdziwiło się rodzeństwo.

– Widzicie, jaki zdolny? Taki mały, a już się nauczył obcych języków – powiedziała z dumą mama kwoka i pogłaskała malucha po głowie.

– Kwa, kwa, kwa! – zakwakało z dumą maleństwo.

– Mamo, a dlaczego ten Kwakwak ma takie krótkie nóżki? – dopytywały się dzieci.

– Nie żaden Kwakwak, tylko wasz braciszek – kurczak. A jeśli chodzi o nóżki, to powiedziałam już waszemu ojcu – nóżki ma krótsze, ale za to dziób dłuższy i teraz już nie zadawajcie mi żadnych pytań, tylko uważajcie, żeby się nie zamoczyć – powiedziała kura. – Nie widzicie, że tutaj jest rzeka?

Wędrowała kwoka z dziećmi,
zobaczyła fale:
– Tu jest woda, moje dzieci,
nie pójdziemy dalej.
Stanął grzecznie jeden kurczak,
stanął drugi, trzeci,
czwarty, piąty… Gdzie jest piąty?
Powiedzcie mi, dzieci?

– Mamo, mamo, on ma chyba źle w głowie! – krzyknęły cztery kurczaki. – Wskoczył w wodę. Pi… pi… Przebiera nogami i wcale się nie boi. Oj, mamo! Mamo, patrz, co on robi.

– Pływam sobie. Kwa, kwa, nie widzicie, że pływam? – odpowiedział piąty.

– Mamo, mamo, wyciągnij go z wody! Mamo, mamo, nie pozwól mu! Skoro my nie umiemy pływać, to niech on też nie pływa. I nam się zdaje, proszę mamy, że on wcale nie jest naszym bratem…

– Oczywiście, że jest waszym bratem! – oburzyła się kura. – Nie jest wprawdzie, jak mi się początkowo zdawało, kurczakiem, tylko kaczorkiem i dlatego zachowuje się inaczej niż wy, ale nie ma innej mamy oprócz mnie i innego rodzeństwa oprócz was. I dlatego bardzo was proszę, żebyście mu nie dokuczały i nie zwracały uwagi na

to, że ma trochę krótsze nóżki, trochę dłuższy dziób i nieco inne obyczaje. I że nigdy nie będzie mówił „ko-ko-ko" ani „kukuryku", tylko „kwa, kwa…"

– Kwa, kwa, kwa! – zakwakał mały kaczorek, dopływając do
brzegu. – Nie gniewajcie się na mnie, że wskoczyłem do wody, ale
musiałem się przecież wykąpać.

– Wcale się nie gniewamy – powiedziały kurczaki. – Uważamy,
że bardzo ładnie pływasz i jesteśmy dumne, że mamy takiego zdol-
nego brata.

Tak właśnie powiedziały i zaraz powędrowały razem z kaczorkiem i mamą kwoką do kurnika, bo zrobiło się już bardzo późno
i trzeba było iść spać.

Bajka

o śledziu, który chciał mieć piłkę

Było sobie morze, w morzu pływały śledzie, a między tymi śledziami był taki jeden zupełnie mały. Taki mały, malutki śledź, który koniecznie chciał coś mieć. Bo śledzie nie mają przecież niczego – ani spodni nie mają, ani butów, ani nawet kostiumów kąpielowych.

Ale ten mały, maleńki śledź wcale nie chciał mieć butów, spodni i kostiumu – chciał mieć piłkę. Chciał mieć piłkę, chociaż wcale nie wiedział, jak taka piłka wygląda. Chciał mieć piłkę, bo kiedyś, kiedy płynął razem z mamą i tatą na niedzielny spacer, usłyszał, jak rozmawiały ze sobą lecące nad wodą mewy:

– Widzisz, ile dzisiaj dzieci na plaży? – powiedziała pierwsza mewa.

– Pewnie, że widzę – odpowiedziała druga.

– A widzisz, jakie mają piękne piłki?

Piłki? – zastanowił się mały śledź. A ponieważ po raz pierwszy usłyszał to słowo, wychylił czym prędzej łebek z wody, żeby zobaczyć, jak te piłki wyglądają.

– Nie wychylaj się! – powiedział zaraz tata śledź.

– Nie wychylaj się! – krzyknęła mama śledziowa.

– Jejku, przecież ja tylko chciałem zobaczyć, jak wygląda piłka... – zapiszczał mały śledzik.

– Zamiast się wychylać, mógłbyś zapytać o to rodziców! – powiedzieli mama i tata.

Ale gdy śledź zapytał, tata zaraz sobie przypomniał, że ma jakieś niesłychanie ważne śledziowe zebranie, a mama powiedziała:

– Nie garb się! Nie dłub w nosie! Umyj szyję i idź spać!

– Aaa… – ziewnął śledź i zaraz zrobiła się noc.

Morze było spokojne. Śledziowa babcia odśpiewała śledzikowi spokojną śledziową kołysankę:

– Aaa – śledzie dwa… – i wnuczek już, już miał spokojnie zasnąć, kiedy nad przezroczystym sufitem śledziowego mieszkania pojawił się nagle księżyc.

– Babciu, czy to jest piłka ? – zapytał śledzik.

– Nie – powiedziała babcia – to tylko księżyc…

I wtedy śledzik zapytał szeptem księżyca:

– Czy mógłbyś mi powiedzieć, jak wygląda piłka?

– O ile się nie mylę – powiedział księżyc – piłki są okrągłe. Ale, prawdę powiedziawszy, nie znam się zbyt dobrze na tym przedmiocie, bo piłki nie są, niestety, nocnymi stworzeniami. Co innego, gdybyś mnie zapytał na przykład o sowy albo o nietoperze…

Ale śledzik nie zapytał, ponieważ nie interesowały go ani sowy, ani nietoperze – tylko piłki. I piłki, okrągłe piłki, śniły mu się całą noc, a rano, kiedy się obudził, zobaczył okrągłe słońce i okropnie się ucieszył, bo przecież księżyc powiedział mu, że piłki są okrągłe.

– Prawda, że jesteś piłką?! – zawołał do słońca.

A słońce nadęło się jeszcze bardziej niż zwykle i powiedziało z wyższością:

– Po pierwsze, kiedy się do mnie zwracasz, mów Wasza Wysokość. A po drugie, między mną i piłką jest o wiele większa różnica niż między sardynką a wielorybem. Ale jeśli chcesz koniecznie zobaczyć, jak wygląda piłka, to zdaje mi się, że coś takiego w kształcie piłki pływa akurat po morzu…

Tak właśnie powiedziało słońce i złotym promieniem wskaza-
ło rybacki kuter, który miał szklane kule przymocowane do rybac-
kich sieci.

– Uciekaj! – krzyknęła śledziowa mama.

– Uważaj, bo wpadniesz w sieć! – zawołał tata, ale śledzik nie
zważał na nic. Szczęśliwy, że zobaczył piłkę, popłynął czym prędzej
w stronę rybackiego pływaka i bardzo nieśmiało wyszeptał:

– Piłko, piłeczko-łeczko-eczko,
ładniejsza jesteś niż słoneczko,
przypłyń tu do mnie, bowiem śledź
własną piłkę chciałby mieć.

– Uważajcie, bo za chwilę pęknę ze śmiechu! – zachichotała ry-
backa sieć. – Ten głupi śledź myśli, że zobaczył piłkę.

– A może naprawdę zobaczył? – powiedziała szklana kula i pod-
skoczyła zupełnie jak piłka.

Ale na falach zjawił się zaraz jakiś bałwan, który porwał kulę,
rzucił ją na brzeg i roztrzaskał w drobny mak.

– Jejku, jejku, piłka mi się stłukła! – zapłakał rzewnymi łzami
śledź i morze zrobiło się jeszcze bardziej słone, niż było przedtem.

– Nie płacz! – powiedziała śledziowa mama.

– Pamiętaj, że jesteś mężczyzną! – przypomniał mu tata.

– Uszy do góry! – zawołała babcia, ale to wcale nie po-
mogło, bo wnuczek płakał coraz głośniej i głośniej, tak gło-
no, że usłyszała go mała pingpongowa piłeczka zostawiona na plaży
przez dzieci. Przeturlała się przez siedem piaskowych babek, prze-
skoczyła siedem grzywiastych fal…

– Piłka! – zawołał śledź. – Nareszcie mam piłkę! – I po raz
pierwszy w życiu roześmiał się od ucha do ucha.

A pingpongowa piłeczka też się roześmiała i zaraz zaczęła się bawić ze śledzikiem w *Kipi kasza, kipi groch*. Tylko słowa trochę zmienili i zamiast „kipi kasza, kipi groch", śpiewali obydwoje tak:

— Muszelka, bursztyn, kipią fale —
goń mnie, goń mnie coraz dalej.
Piłeczka skacze, tańczy śledź,
jak to dobrze piłkę mieć!

Bajka

o różowym baloniku i szpilkach,
które miały tępe łebki

Balonik był różowy. Bardziej różowy niż landrynkowe lizaki i bibułkowe róże, które grubymi głosami zachwalali grubi sprzedawcy, wołając jarmarcznie i odpustowo:

– Komu róże? Komu róże?
Tylko u mnie takie duże!
Do lizaków! Do lizaków
dla panienek i chłopaków!

Balonik był różowy i lekki. Lżejszy od drewnianych samolotów wirujących dokoła karuzeli, od huśtawek fruwających nad placem i chyba nawet od wiatru, bo majowy wiatr unosił go bez żadnego wysiłku – lekko, leciutko nad skrzydłami karuzelowych samolotów i huśtawkami latającymi w powietrzu.

– O! O! – cieszyły się dzieci z huśtawek i karuzeli, a każde „O" było okrągłe i różowe jak balonik. – Różowy balonik fruwa nad głowami! Różowy balonik tańczy z obłokami! Jaki ładny! Jaki lekki! Jaki wesoły!

I z tych wszystkich zachwytów, z okrągłych i różowych „O", ułożyła się różowa piosenka, która poleciała w ślad za balonikiem:

> – *Różowy balonik, różowy balonik*
> *przeleciał koło nas tuż-tuż,*
> *wiatr gwizdnął na palcach, balonik pogonił,*
> *i popatrz – nie widać go już.*
>
> *Różowy balonik, różowy balonik*
> *zaglądał do okien i gniazd,*
> *jak kropka różowa podskoczył nad komin*
> *i może doleci do gwiazd?...*

Ale balonik nie doleciał do gwiazd, tylko znacznie bliżej. Bliżej i niżej, bo po drodze zobaczył uchylone okno i firankę, która kłaniała mu się w pas, a właściwie we wszystkie paski, bo była pasiasta:

– Dzień dobry, różowe słoneczko! Witamy, witamy! Serdecznie witamy i zapraszamy do środka!

– Dzień dobry! – dygnął balonik na parapecie i już, już miał wejść do pokoju, ale zawahał się przez chwilę. Bo w pokoju zobaczył łóżko i leżącego w nim chłopca.

– Śpi?

– Śpi... – kiwnęła wszystkimi paskami firanka.

– To może – zastanowił się balonik – przylecę trochę później? Wtedy, kiedy chłopiec się obudzi i wstanie.

– On jest chory – westchnęła firanka. – Chory i bardzo smutny, bo w ogóle nie wstaje. Robimy, co możemy, żeby go zabawić, ale wszystko na próżno. Więc może tobie się uda? Kiedy otworzy oczy, powiedz: „Budzę cię... budzę cię w kolorze różowym". I fiknij parę fikołków na kołdrze...

– Budzę cię… – wyszeptał cichutko balonik – budzę cię w kolorze różowym… – powtórzył jeszcze raz, żeby nie zapomnieć, i usiadł na brzegu łóżka.

– Ach! – ziewnęła kołdra. – Jaka miła, różowa niespodzianka! Sama nie wiem, czy mi się tylko przyśniłeś, czy jesteś naprawdę?

– Naprawdę! – uśmiechnął się szeroko balonik i śpiący chłopiec też się troszeczkę uśmiechnął. Najpierw nieśmiało jeszcze i niepewnie, przez sen, przez różowy sen o baloniku, przez kolorowy sen o wesołym miasteczku – o huśtawkach, o karuzeli, różach i lizakach. A potem, otwierając oczy, zobaczył to wszystko naprawdę. I naprawdę się uśmiechnął, bo w baloniku jak w wypukłym lusterku odbijały się huśtawki lecące pod samo niebo i samoloty fruwające wokół karuzeli. Grubi sprzedawcy zachwalali róże i lizaki, dzieci śpiewały różową piosenkę…

– Huśtam się! Huśtam! – zaśpiewało w takt piosenki łóżko.

– Jesteśmy skrzydłami samolotu! – cieszyły się poduszki.

– Komu róże? Komu róże? Tylko u mnie takie duże! – zawołał wazon stojący na stole i cały pokój rozdzwonił się piosenką o wesołym miasteczku. Wszyscy śpiewali, a różowy balonik fruwał nad nimi i dyrygował:

– Różowe jest niebo, różowa jest zieleń,
w różowym kolorze jest wiatr,
w wesołym miasteczku w majową niedzielę
w różowym humorze jest świat!

Mówię wam – cały pokój tańczył! I łóżko, i stół, i szafa – nawet obrazki na ścianach. Tylko igły w szufladzie pozatykały sobie uszy nitkami, żeby nie słyszeć różowej piosenki, tylko gwoździe od obrazów siedziały na miejscu jak wmurowane i patrzyły zezem na balonik.

– Temu to dobrze, bo ma lekkie życie, a my?…

– Lekkie szycie? – nie dosłyszały igły.

– Nie szycie, tylko życie – sprostowały szpilki. – Balon ma lekkie życie, bo nic nie robi, tylko skacze, tańczy i fruwa.

– I wszystkich sobą cieszy! – przypomniały poduszki.

– Nie będziemy słuchać, co mówią poduszki – zezłościły się szpilki – bo wiadomo, że poduszki mają w środku gęsie pióra i są głupie jak gęsi! A balon też jest głupi. Głupi i nadęty do niemożliwości. Pycha go tak rozdyma, zdaje mu się, że jest nie wiadomo kim, a przecież to nic innego, jak tylko zero… Zwyczajne, wielkie zero.

– A was kłuje zazdrość! – zmarszczyła się firanka. – Macie tępe łebki i nie możecie zrozumieć, że na świecie potrzebne są nie tylko szpilki, ale i baloniki. A może nawet baloniki są bardziej potrzebne od szpilek?

– Głupia szmata! – wrzasnęły na firankę szpilki i ustawiły się na dnie szuflady w bojowym szyku, sycząc jedna przez drugą:

> *– Czas uderzyć w czynów stal!*
> *Ostrzem szpilki w balon wal!*
> *Przekłujemy go i koniec,*
> *zaraz będzie po balonie!*

– Uważaj! – krzyknęła do balonika firanka.

– Uważaj! – zawołały poduszki.

– Nic się nie martwcie – powiedziała szafa i zatrzasnęła szufladę ze szpilkami na trzy spusty. – Będę pilnowała, żeby szpilki nie zrobiły balonikowi żadnej krzywdy.

– W razie czego wszyscy będziemy go bronić! – zawołały przedmioty z całego pokoju. – Bo on przecież przyniósł naszemu chłopcu różowy świat i dał mu to, czego nikt z nas nie umiał dać – uśmiech.

A chory chłopiec przytulił różowy balonik do siebie, przygarnął go chudziutkimi rączkami i cały uśmiechnięty, zaróżowiony powiedział do różowego balonika:

– Dzisiaj wieczorem znowu pokażesz mi wesołe miasteczko. I jutro, i pojutrze… A kiedy zacznę chodzić, polecimy tam obydwaj naprawdę…

Spis treści